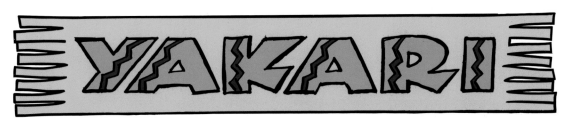

YAKARI

DER KLEINE INDIANERJUNGE

EDITION XXL

Yakari und Großer Adler

Der kleine Indianerjunge Yakari saß auf der Latte eines Holzzaunes. Er hatte einen Strick um einen Pfosten gebunden, den er fest in der Hand hielt. „Hüa, na los, jetzt lauf!", rief er und bewegte den Strick wie einen Zügel auf und ab. „Kein Pferd der Welt schafft es, den besten Reiter aller Sioux-Indianer abzuwerfen!" Er sprang mit beiden Füßen auf die Latte und versuchte, sein Gleichgewicht zu halten. Doch dann musste Yakari sich doch festhalten, denn vor lauter Übermut wäre er fast vom Zaun gefallen.

Plötzlich tauchten sein Vater und andere Sioux-Indianer neben
ihm auf. „Springt auf eure Pferde, wir wollen heute Wildpferde
einfangen!", rief einer von ihnen. „Und der, dem es gelingt,
Kleiner Donner einzufangen, wird besonders geehrt!" Yakari
bekam große Augen. „Kleiner Donner?", fragte er überrascht.
„Wer ist das?" „Kleiner Donner ist ein kräftiges und besonders
mutiges Pony", erklärte sein Vater. „Es ist eigensinnig und
hitzköpfig, fast so wie mein Sohn." Und er strich Yakari liebevoll
durch das Haar. „Aber es lässt sich nicht fangen. Doch heute
kriegen wir es!", setzte der Indianer Spitzer Pfeil hinzu und ritt
mit den anderen Indianern in wildem Galopp davon.

Yakari sah seinem Vater und den anderen Indianern traurig
nach. „Wenn ich doch auch nur ein Pferd hätte", seufzte
er traurig. Sein Freund Kleiner Dachs tauchte neben ihm auf
und lachte. „Du weißt ja noch nicht einmal, wie man richtig
auf ein Pferd aufsitzt", spottete er.

Yakari ließ den Kopf hängen. „Weißt du, was?", sagte Kleiner
Dachs auf einmal. „Ich weiß, wo sich die Mustangs aufhalten.
Wir können zu ihnen gehen und sie beobachten." „Das
machen wir!", rief Yakari begeistert. Aufgeregt rannten sie
los. Übermütig sprangen sie über Stock und Stein.

Sie liefen den Weg entlang, der zum Fluss hinunterführte. Am Ufer des Flusses lag ein Kanu und die Jungen stiegen hinein. Sofort wurde das Kanu von der Strömung erfasst und glitt flussabwärts.

Yakari und Kleiner Dachs griffen nach den Paddeln und steuerten damit das Kanu durch die Wellen. Bald waren sie an der richtigen Stelle angekommen und stiegen aus. Voller Vorfreude rannten sie los.

Sie durchquerten einen Wald und kamen schon bald an einen Abhang. Dann legten sie sich auf den Bauch und schauten vorsichtig hinunter, damit sie die Pferde nicht erschreckten.

Unter ihnen im Tal stand eine Herde wundervoller wilder Mustangs. An dieser Stelle war das Gras besonders saftig. Die Pferde grasten in der Sonne und ließen es sich schmecken. Yakari rieb sich die Augen. „Sind die schön!", rief er begeistert. Ein Pferd fiel Yakari besonders auf. Es war ein schwarz-weißes Pony mit einer hellen langen Mähne. „Schau mal!", rief Yakari begeistert. „Das da vorne muss Kleiner Donner sein!" Das Pony schaute auf. Dann wieherte es, stellte sich auf die Hinterbeine und strampelte vergnügt mit den Vorderbeinen durch die Luft.

Yakari lachte. Es sah aus wie eine Begrüßung. Plötzlich hörten die Jungen lautes Hufgetrappel, das immer näher kam. Die Indianer kamen herangaloppiert!

Yakari verstand sofort, welchen Plan die Indianer hatten.
„Sie wollen die Mustangs gegen den Felsen drängen und
einkreisen!", rief er seinem Freund zu. Und tatsächlich:
In wildem Galopp ritten die Indianer auf die Wildpferde zu.

Das kleine Pony Kleiner Donner sah sich erschrocken nach
den Indianern um. Dann drehte es sich um und rannte
eine schmale Felsenschlucht entlang, so schnell es konnte.
Spitzer Pfeil sah es sofort. „Diesmal entkommst du mir nicht,
Kleiner Donner!", rief er. Dann nahm er die Verfolgung auf.

Kleiner Donner rannte den schmalen Pfad durch die Felsen entlang, doch Spitzer Pfeil war ihm dicht auf den Fersen. Auf einmal endete der Pfad vor einer Felswand. Kleiner Donner war gefangen! Spitzer Pfeil zog sein Lasso hervor und warf die Schlinge nach dem Pony. Doch in diesem Moment setzte Kleiner Donner zum Sprung an, sprang in hohem Bogen über Spitzer Pfeil und sein Pferd hinweg und galoppierte davon. Spitzer Pfeil sah ihm bewundernd nach. „Ich glaube, dieses Pony hat Flügel unter den Hufen", seufzte er. „Niemand wird es je bezwingen!"

Am nächsten Tag gingen Yakari und sein Freund Kleiner Dachs zu der Wiese, auf der die Pferde eingeritten wurden. Das war nicht gerade einfach. Die Pferde waren wild und ließen sich nicht reiten. In hohem Bogen wurden die Indianer von den Pferderücken geschleudert, stiegen aber immer wieder auf.

Yakari sah sich in der Herde um. „Ihr habt alle Mustangs eingefangen!", staunte er. „Aber wo ist Kleiner Donner?" „Den haben wir nicht gefangen", erwiderte sein Vater. „Er war zu schnell und zu klug für uns."

Yakari nickte und lächelte. „Das stimmt", dachte er bei sich. „Das habe ich selbst gesehen." Er sprang vom Zaun herunter und ging ein Stück den Weg entlang auf die Schlucht zu, in der die Indianer die Wildpferde eingefangen hatten. Dabei musste er immer wieder an Kleiner Donner denken. Dieses kleine Pony war so schön gewesen. Es hatte ihn so lange angeschaut und gewiehert. Auch jetzt glaubte Yakari, ein Pferd in der Ferne wiehern zu hören. Oder bildete er sich das nur ein?

Yakari ging ein Stück weiter und lauschte. Nun war nichts mehr zu hören. Trotzdem blieb Yakari unruhig. Immer wieder musste er an Kleiner Donner denken. Vielleicht war das kleine Pony in Gefahr?

Sogleich machte sich Yakari auf die Suche nach dem klugen Pony. Lange war er unterwegs, bis er endlich in der Schlucht angekommen war. Dann hörte er ein Wiehern. Es hörte sich sehr verzweifelt an.

Aber aus welcher Richtung kam es? Das Echo hallte von allen
Seiten. Yakari kletterte auf einen hohen Felsen. Von hier aus
konnte er die Gegend gut überblicken.

Und tatsächlich! Auf einem kleineren Felsvorsprung stand
Kleiner Donner. Er wieherte verzweifelt, aber er konnte sich
nicht bewegen. Seine Hufe waren zwischen den Steinen ein-
geklemmt. „Warte, Kleiner Donner, ich hole dich da raus! Aber
dazu musst du mir vertrauen", sagte Yakari und kletterte zu
dem Pony hinüber. Kleiner Donner stand nun ganz still. Yakari
streichelte über das weiche schwarz-weiße Fell des Ponys.

Dann bückte sich Yakari und versuchte, die Steine zur Seite zu
räumen. Wie schwer sie waren! Yakari brauchte seine ganze
Kraft dafür. Erst hob er den einen dicken Stein auf und räumte
ihn zur Seite, dann nahm er einen kleineren, zuletzt einen ganz
besonders dicken.

Kleiner Donner bewegte sich nicht. Ganz ruhig wartete er darauf,
dass Yakari ihm half. Und schon nach kurzer Zeit war er befreit. „Lauf
los, Kleiner Donner!", rief Yakari ihm glücklich zu. „Du bist frei!"

Kleiner Donner wieherte laut. Dann galoppierte er davon. Auf dem nächsten Felsen sah er sich um und schaute Yakari lange an. Dann stellte er sich auf die Hinterbeine, wieherte noch einmal laut und verschwand.

Yakari winkte seinem neuen Freund nach. Dann seufzte er. Wie schön wäre es gewesen, wenn Kleiner Donner mit ihm gekommen wäre!

Plötzlich hörte Yakari ein merkwürdiges Geräusch. Wie Donner hörte es sich an. Ob ein Gewitter aufzog? Unruhig drehte sich Yakari um und schaute den Felsabhang hinauf, der sich hinter ihm befand.

Da sah er, wie sich die Steine über ihm bewegten. Hilfe! Das durfte doch nicht wahr sein! Kleiner Donner hatte durch sein wildes Galoppieren eine Steinlawine ausgelöst. Da rollten auch schon die ersten Steine den Berg hinunter. Sie wirbelten eine große Staubwolke auf. „Oh nein!", rief Yakari. Der ganze Berg schien zu beben. Was sollte er bloß tun? Er konnte niemals schnell genug hier wegkommen, um der Steinlawine zu entkommen!

Auf einmal löste sich ein riesiger dicker Stein von einem Felsen. Hoch flog er durch die Luft, direkt auf Yakari zu. „Hilfe!", schrie Yakari. „Hilfe, kann mir denn niemand helfen?"

Es gab nur ein Lebewesen, das in der Nähe war: ein großer Adler. Er saß auf einem hohen Felsen gleich hinter dem Felsvorsprung, auf dem Yakari stand.

Als der Adler Yakaris Hilfeschreie hörte, erhob er sich in die Luft, flog direkt auf Yakari zu und zog ihn mit sich. Yakari klammerte sich an seinen Flügel. Das war knapp gewesen! Denn nun rollten die Steine polternd herunter und landeten genau dort, wo noch vor ein paar Sekunden Yakari gestanden hatte.

Yakari gelang es, auf den Rücken des Adlers zu klettern. Da saß er nun und betrachtete die Felsenlandschaft, die tief unter ihm lag. Es war ein tolles Gefühl, fliegen zu können und die Welt von oben zu sehen. Alles sah so klein und unbedeutend aus.

Der Adler landete im Tal. Hier waren sie sicher. Erleichtert kletterte Yakari vom Rücken des Adlers. „Ich danke dir. Danke, dass du mich gerettet hast!", sagte er überglücklich. „Natürlich, Yakari", antwortete der Adler mit tiefer Stimme.

Yakari glaubte, seinen Ohren nicht zu trauen. „Aber, … aber du sprichst ja!", rief er verwundert. Der Adler nickte. Yakari verstand nun überhaupt nichts mehr.

„Und du kennst meinen Namen?", fragte er verblüfft. „Deinen Namen und noch vieles andere, Yakari", sagte der Adler. „Ich bin dein Totem, dein Beschützer. Ich habe auch gesehen, dass du das Pony gerettet hast. Du bist ein Freund der Tiere und verdienst Vertrauen."

„Schließe deine Augen!", forderte der Adler Yakari auf. Yakari legte seine Hände über die Augen. Als er die Augen wieder öffnete, flog eine wunderschöne große Adlerfeder auf ihn zu. „Das ist meine schönste Feder", sagte der Adler. „Sie ist ein Geschenk für deine Tapferkeit. Und ein Zeichen unserer ewigen Verbundenheit. Erweise dich ihrer als würdig!" Mit diesen Worten erhob sich der Adler in die Luft und flog davon. Glücklich steckte sich Yakari die Feder ins Haar.

Yakari ließ sich ins Gras fallen. „Was für ein toller Tag! Erst Kleiner Donner und dann Großer Adler!", sagte er. Er schloss für einen Moment die Augen. Dann riss er sie wieder auf. „Oder habe ich das alles nur geträumt?", fuhr es ihm durch den Kopf. „Nein, die Feder ist ja noch da", dachte er und berührte die Feder in seinem Haar.

„Ich habe Kleiner Donner sogar berührt", fiel ihm dann ein und er sprang auf. Dann streckte er seine Hand noch einmal weit aus, schloss die Augen und erinnerte sich daran, wie er Kleiner Donner gestreichelt hatte. Da spürte er etwas Weiches an seiner Hand und öffnete die Augen wieder. Neben ihm stand Kleiner Donner!

„Kleiner Donner!", rief Yakari. „Du stehst ja neben mir!" Er lachte
überglücklich. Dann ging er zu einem Maisfeld, riss einen Maiskolben ab und gab ihn Kleiner Donner. In dem Moment, als Kleiner
Donner den Maiskolben fressen wollte, versuchte Yakari, auf
seinen Rücken zu klettern. Aber Kleiner Donner durchschaute ihn
sofort, stieg mit den Vorderbeinen in die Luft und rannte davon.

Yakari fiel in hohem Bogen ins Gras. Wütend stand er auf. „Mir
fällt schon noch ein Trick ein, wie ich auf deinen Rücken steigen
kann!", rief er. Da drehte sich Kleiner Donner um und schnaubte.
„So ganz bestimmt nicht!", erwiderte er.

Yakari glaubte, seinen Ohren nicht zu trauen. Hatte Kleiner
Donner da geredet? „Ich kann dich verstehen, Kleiner Donner!",
rief er. Kleiner Donner schaute ihn an. „Da wäre ich mir nicht
so sicher!", erwiderte er. Dann schnaubte er noch einmal und
drehte sich um. „Eine schöne Feder hast du da!", rief er Yakari
noch zu und galoppierte davon.

Yakari starrte ihm nach. „Das gibt es doch nicht!", rief er. „Ich
konnte verstehen, was Kleiner Donner gesagt hat. Das bedeutet
vielleicht, dass ich mit Tieren sprechen kann." Er streckte die
Hände weit aus und tanzte im Kreis. „Vielleicht kann ich ja sogar
mit allen Tieren sprechen, genau wie mit Großer Adler!"

In dem Moment kam ein starker Wind auf. Auf einmal wurde das Licht der Sonne immer greller, so grell, dass Yakari die Augen zusammenkneifen musste. Als er sie wieder öffnete, saß Großer Adler vor ihm. „Großer Adler!", rief Yakari begeistert. „Ich kann plötzlich mit den Tieren sprechen." Großer Adler nickte. „Das liegt daran, dass ich dir mein Vertrauen geschenkt habe", sagte er. „Du bist ein Freund der Tiere und wirst sie beschützen." Und noch bevor Yakari etwas antworten konnte, breitete Großer Adler seine Flügel aus und flog wieder davon.

Es war schon spät, als Yakari ins Indianerlager zurückkehrte. Sein Vater und die anderen Männer des Stammes saßen um ein Lagerfeuer. „Woher hast du die Feder?", fragte Yakaris Vater seinen Sohn. „Die hat mir Großer Adler als Belohnung geschenkt, weil ich Kleiner Donner gerettet habe. Er hatte sich den Fuß …"

Weiter kam Yakari nicht, weil die Männer auf einmal anfingen zu lachen. „Der Junge hat ja eine blühende Fantasie", sagten sie. „Aber die Geschichte stimmt!", rief Yakari. „Komm mit mir, mein Sohn", befahl sein Vater und führte Yakari vom Lagerfeuer weg.

Da streckte Yakaris Vater seine Hand aus. „Gib mir die Feder, mein Sohn", sagte er. „Nur wer vor den Augen des ganzen Indianerstammes eine Heldentat begangen hat, darf die Feder eines Adlers tragen."

Traurig reichte Yakari seinem Vater die Feder. „Sei nicht traurig, Yakari", sagte sein Vater. „Du wirst noch viele große Taten vollbringen." Yakari nickte und lächelte. „Zum Beispiel auf Kleiner Donner reiten!", rief er mit fester Stimme. „Ich werde ihn zähmen, das weiß ich. Und dann gehört die Feder von Großer Adler mir!"

Yakari und Kleiner Donner

Es war noch früh am Morgen. Über dem Lager der Sioux-Indianer ging die Sonne auf und Yakari erwachte. Sein Blick schweifte durch das Zelt. Er war allein. Sein Vater und seine Mutter waren bereits aufgestanden. Auch Yakari erhob sich von seinem Lager, wusch sich und zog sich an. Dann betrachtete er die Feder von Großer Adler, die sein Vater im Zelt aufgehängt hatte.

Was hatte sein Vater zu ihm gesagt? Nur wer vor allen anderen Indianern eine Heldentat vollbringt, darf eine Adlerfeder tragen. Yakari seufzte. Wenn er sie doch endlich tragen dürfte!

Er schaute auf das Fell, das über einem Holzbalken hing. Es sah fast wie ein Pferd aus. Mit einem Satz sprang Yakari auf das Fell und wippte auf und ab, als würde er auf einem Pferd reiten. „Ich werde es schaffen!", rief er und schlug auf das Fell ein. „Heute noch sitze ich auf dem Rücken von Kleiner Donner!" Er wippte immer wilder auf und ab. „Ja, ja!", schrie er.

Plötzlich fiel sein Blick auf den Kopfschmuck seines Vaters,
dem Häuptling der Sioux-Indianer. Was für prachtvolle Federn
er hatte! Übermütig sprang Yakari von dem Fell herunter,
nahm den Kopfschmuck und setzte ihn sich auf den Kopf.

Nun baute er sich mitten im Zelt auf und schlug sich gegen die
Brust. „Nach dieser kühnen Heldentat ist Yakari der Respekt
aller Sioux-Indianer gewiss!", rief er mit tiefer Stimme und
blickte verträumt vor sich hin. „Und dann bin ich ein Jäger
genau wie sie!", strahlte er.

„Plong" machte es und der prachtvolle Federschmuck rutschte ihm auf die Nase. Yakari seufzte. Es war eben leider nur ein Traum. „Yakari, bist du fertig?", hörte er plötzlich eine helle Kinderstimme von draußen. Es war Regenbogen, seine beste Freundin. Schnell hängte Yakari den Federschmuck zurück an seinen Platz. „Ich komme, Regenbogen!", rief er dann.

Regenbogen wartete schon ungeduldig vor dem Zeltein-
gang. Gemeinsam liefen die beiden los. Sie rannten aus dem
Indianerlager und dann weiter durch den Wald. Über Stock
und Stein ging es. Auf einer Lichtung zog sich Yakari an einem
Felsen hoch und sah sich nach allen Seiten um.

Regenbogen kam zu ihm. „Du hast mir so viel von Kleiner
Donner erzählt", sagte sie aufgeregt. „Hoffentlich finden
wir ihn jetzt auch!"

„Kleiner Donner ist das schönste und klügste Wildpferd, das es gibt", sagte er. „Ich wette, er ist bestimmt ganz hier in der Nähe." Yakari sprang vom Felsen und gemeinsam liefen die beiden weiter.

Doch auf einmal stoppte Yakari so plötzlich, dass Regenbogen gegen ihn lief. Vor ihnen stand ein kleines braunes Tier. Wie eine zu große Katze sah es aus. „Oh, ein Pumajunges!", rief Yakari und hockte sich zu ihm. „Vorsicht!", warnte ihn Regenbogen. „Vielleicht ist seine Mutter hier irgendwo."

Aber Yakari hörte nicht auf sie. Er streckte seine Hand aus und
streichelte den kleinen Puma vorsichtig. Mit einem Mal ertönte
ein lautes Knurren und Fauchen. „Oh nein, die Pumamutter!",
rief Regenbogen ängstlich. Tatsächlich! Die Mutter des kleinen
Pumas stand auf einem Felsvorsprung über ihnen.

„Lauf weg, Regenbogen!", schrie Yakari. Und das tat das
Indianermädchen auch. Sie lief weg, so schnell sie konnte.
Die Pumamutter knurrte wütend hinter ihr her. „Ich muss
sie ablenken!", dachte Yakari und wedelte wie wild mit den
Armen. „Fang mich doch!", rief er dem Puma zu und lief los.

Sofort sprang der Puma von dem Felsen und verfolgte ihn. Quer durch den Wald jagten die beiden. Yakari hatte furchtbare Angst. Die Pumamutter war wild und gefährlich. Und sie war schnell. Gleich hatte sie ihn eingeholt! Doch in diesem Augenblick fiel Yakari in eine Erdspalte, die er in der Eile nicht gesehen hatte.

In der Erdspalte saß ein Dachs, der ihn wütend anknurrte, aber Yakari hielt ihm schnell das Maul zu. Zum Glück merkte der Puma nichts, sprang über die Erdspalte und rannte weiter.

„Das war knapp!", seufzte Yakari und kletterte aus der Erdspalte. Dann sah er sich um. Wo war er nur? Diese Gegend kannte er nicht. Verzweifelt schaute er sich um. Die Bäume waren so hoch und das Gebüsch so dicht! Und dann ging auch noch langsam die Sonne unter und es wurde dunkel.

Yakari kletterte auf einen Ast hoch oben im Baum und sah sich um. Aber es war schon zu dunkel, um den Weg nach Hause zu finden. „Ich werde hier bleiben und erst morgen weitergehen, wenn die Sonne mich führt", überlegte er. Dann machte er es sich auf dem Ast bequem. „Am besten versuche ich, ein bisschen zu schlafen", sagte er zu sich.

Doch an Schlaf war nicht zu denken. Der Wald war voller unheimlicher Geräusche. Ein Knurren und Kreischen war zu hören, dann wieder heulte jemand. Yakari bekam es mit der Angst zu tun. Doch dann fiel ihm ein, was Großer Adler zu ihm gesagt hatte: „Ich bin immer bei dir, Yakari. Ich bin dein Totem, dein Beschützer." Beruhigt lehnte er sich zurück und schlief schon bald ein.

Mitten in der Nacht wurde er vom Schrei eines Tieres geweckt. War da ein Tier in Gefahr? So schnell er konnte, kletterte Yakari vom Baum herunter und machte sich auf die Suche. Doch was war das? Ein tiefes Erdloch tat sich im Boden vor ihm auf. Und aus diesem Erdloch kam ein klägliches Schreien.

Yakari schaute vorsichtig in das Loch und sah, dass der kleine Puma hineingefallen war. Es blieb ihm nichts anderes übrig, als in das Erdloch hinunterzuklettern und den Puma zu retten.

Glücklich sprang der kleine Puma auf seine Arme und ließ
sich von Yakari nach oben zurücktragen. Doch plötzlich stand
die Pumamutter wieder vor Yakari und fauchte ihn wütend
an. Erschrocken ließ Yakari den kleinen Puma los. So schnell
es konnte, rannte das Pumajunge zu seiner Mutter und
schmuste mit ihr. Das schien die Pumamutter zu beruhigen.
Da hatte Yakari nochmal Glück gehabt!

Bevor sie im Wald verschwand, drehte sich die Pumamutter
noch einmal fauchend zu Yakari um. Dann ging sie mit ihrem
kleinen Sohn weiter, ohne Yakari zu danken.

Aber Yakari war froh, dem kleinen Puma geholfen zu haben
und winkte den beiden glücklich hinterher. Immer noch war
es dunkel. Deshalb kletterte Yakari auf den Baum zurück
und schlief wieder ein.

Als die Sonne aufging, wurde er von einem kalten Windstoß
geweckt. Yakari öffnete verschlafen die Augen. Vor ihm saß
Großer Adler. Yakari lächelte. „Ich freue mich, dich wiederzu-
sehen", sagte er. „Ich freue mich auch", erwiderte Großer Adler
mit tiefer Stimme. „Aber jetzt musst du dich beeilen! Sieh dort!"

Yakari schaute in die Richtung, in die Großer Adler mit seinem Flügel zeigte. „Der Wald brennt lichterloh", erklärte Großer Adler. „Rette dich, so schnell du kannst!"

Erschrocken sah Yakari sich um. Tatsächlich! Dunkle Rauchwolken stiegen von einer Waldlichtung auf und glühende Funken flogen durch die Luft. Alle Tiere rannten aus dem Wald, so schnell sie konnten. Yakari konnte sehen, wie sie mit Panik in den Augen vor dem Waldbrand flüchteten.

Hastig kletterte Yakari von dem Baum herunter und rannte los. Der Rauch biss in seinen Augen und die große Hitze schien immer näher zu kommen. Yakari hatte furchtbare Angst. Wohin um Himmels willen sollte er laufen?

Krach! Ein glühender Ast fiel ihm direkt vor die Füße. Beinahe hätte er ihn erwischt. „Hilfe!", schrie Yakari voller Angst. Das Feuer hatte ihn eingekreist. Wie sollte er hier nur wieder herauskommen? Yakari hustete. Er bekam kaum noch Luft. Der beißende Rauch war überall!

Nicht weit von Yakari entfernt hatte sich eine Herde
Wildpferde vor dem Feuer auf das offene Feld geflüchtet.
Auch Kleiner Donner war unter ihnen. Plötzlich blieb er
stehen und lauschte.

War das nicht der kleine Indianerjunge Yakari, der da um Hilfe schrie? Kleiner Donner sah sich um. Die anderen Pferde rannten weiter, so schnell sie konnten. Kleiner Donner zögerte. Sollte er sich nicht auch besser in Sicherheit bringen? Aber Yakari hatte ihm damals auch geholfen, als er in Not war.

Wieder hörte Kleiner Donner, wie Yakari hustete und um Hilfe schrie. Klarer Fall! Er musste Yakari helfen! Kleiner Donner galoppierte zurück in den Wald und sprang mit einem Satz über die Flammen hinweg. Direkt vor Yakari kam er zum Stehen. Yakari sah ihn überrascht an. „Kleiner Donner!", rief er erfreut. „Beeil dich! Steig auf meinen Rücken!", rief Kleiner Donner.

Das ließ sich Yakari nicht zweimal sagen. Er kletterte auf den Rücken des Ponys und hielt sich an seiner Mähne fest. Kleiner Donner sprang so hoch er konnte über das Feuer hinweg und trug Yakari immer weiter aus dem brennenden Wald hinaus.

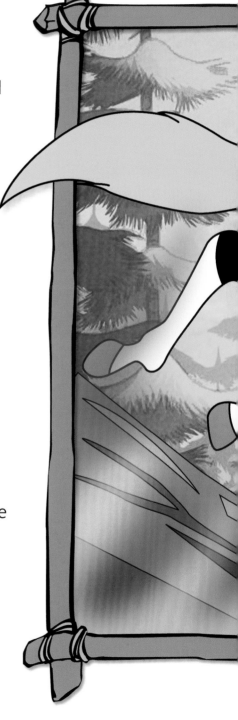

Yakari klammerte sich an der Mähne fest, aber er hatte keine
Angst. Kleiner Donner würde ihn in Sicherheit bringen, da
war er sich ganz sicher. „Danke, Kleiner Donner", sagte Yakari
und streichelte dem Pony über die Mähne.

Da tauchte auch Großer Adler über ihnen auf. „Kommt mit
mir!", rief er. „Ich werde euch zeigen, wo ihr in Sicherheit seid."
Und dann führte er die beiden an einen Fluss. Dort legte Kleiner
Donner Yakari auf einem Stein ab.

Yakari schloss die Augen. Das alles war so unwirklich. Fast wie ein Traum! Als er die Augen wieder öffnete, sah er den Adler und das Pony direkt über sich. Sie beugten sich zu ihm hinunter und sahen ihn nachdenklich an.

„Kleiner Donner, Großer Adler!", rief Yakari überrascht. Dann überlegte er einen Moment lang. „Ist das Feuer aus?", fragte er. Kleiner Donner antwortete nicht, sondern pustete ihm eine Ladung Wasser ins Gesicht. Yakari lachte laut. „Nicht, ich bin ja schon wach!", lachte er.

Dann sprang er auf. „Ich muss nach Hause zurück!", rief er.
„Die anderen machen sich bestimmt Sorgen. Jetzt bei Tageslicht
finde ich den Weg." Er marschierte los, drehte sich dann aber
noch einmal um. „Ihr habt mir das Leben gerettet! Vielen Dank,
ihr beiden!", rief er und marschierte weiter.

Auf einmal hörte Yakari Hufgetrappel und Kleiner Donner blieb
direkt neben ihm stehen. „Willst du nicht auf meinen Rücken
steigen?", fragte er. „Erst hast du mein Leben gerettet, dann
habe ich dein Leben gerettet. Wir beide gehören ab jetzt für
immer zusammen!" Yakari konnte sein Glück kaum fassen.

Überglücklich sprang er auf den Rücken von Kleiner Donner
und die beiden ritten los. Unterwegs hielt Kleiner Donner noch
einmal an und sagte zu Yakari: „Aber du musst mir versprechen,
mir niemals Zügel anzulegen. Ich mag meine Freiheit zu sehr!"
„Großes Indianerehrenwort!", versprach Yakari.

Als sie im Indianerdorf ankamen, trafen sie Regenbogen, Yakaris
Freundin. Sie war mit einem Krug zum Wasserholen gegangen.
Als sie Yakari entdeckte, lachte sie und lief den beiden entgegen.

„Na endlich, da bist du ja, Yakari!", rief sie. „Ich hatte solche
Angst um dich!" Yakari lächelte sie an. „Ach, das war doch
nicht nötig", erwiderte er.

„Sieh mal, ich habe Kleiner Donner mitgebracht! Ist er nicht
genauso schön, wie ich dir gesagt habe?", fragte Yakari. „Du
hattest recht. Er ist das schönste Pony, das ich je gesehen
habe!", antwortete Regenbogen und streichelte über das
weiche Fell von Kleiner Donner. Dann lenkte Yakari Kleiner
Donner weiter ins Indianerlager hinein.

Als die anderen das Hufgeklapper hörten, traten sie vor ihre Zelte und beobachteten die beiden mit großen Augen. „Ist das Yakari?", wunderten sie sich. „Ja, er ist es!", riefen sie dann und freuten sich, dass ihm nichts passiert war.

Yakari ritt genau auf sie zu. „Yakari und Kleiner Donner. Wie hat er es nur geschafft, ihn zu zähmen?", sagte einer der Indianer zu einem anderen. Da trat Yakaris Vater nach vorne. „Ich weiß, dass du sehr mutig warst, mein Sohn. Das hat uns Regenbogen erzählt", sagte er und legte den Arm um sie.

„Du hast Regenbogen vor einem Puma gerettet, du bist
einem Waldbrand entkommen und nun kehrst du sogar auf
Kleiner Donner zu deinem Stamm zurück!", sagte Yakaris
Vater und lächelte. „Du hast nicht nur eine Heldentat voll-
bracht, sondern gleich drei." Nun nahm er die Feder von
Großer Adler und gab sie Yakari.

„Diese Feder hast du dir wirklich verdient, mein Sohn. Ich bin stolz auf dich!", fuhr er fort. Yakari strahlte. „Danke, Vater!", antwortete er glücklich und steckte sich die Feder ins Haar.

Da flog Großer Adler über ihn hinweg. „Die Feder steht dir gut!", rief er. Yakari lachte. Sein Vater reichte ihm die Hand und half Yakari vom Rücken des Ponys herunter. Dann legte er Yakari die Hände auf die Schultern und sagte: „Doch das Schönste ist, dass wir dich endlich wieder bei uns haben!"

Kleiner Donner reißt aus

Die Sonne stand schon hoch am Himmel. Kleiner Dachs und Yakari galoppierten auf ihren Pferden Kleiner Donner und Schneller Blitz über die Prärie. Die Hufe schlugen gegen den harten Boden, dass es nur so krachte. „Ich wette meinen schönsten Wolfszahn, dass ich gewinne!", rief Kleiner Dachs Yakari zu. Da trieb Yakari Kleiner Donner noch mehr an. „Schneller, Kleiner Donner!", rief er. „Lauf, so schnell du kannst!"

Kleiner Donner schien fast über den Boden zu fliegen. Er
setzte sich an die Spitze und ließ Schneller Blitz hinter sich.
Auf einmal zuckte Yakari zusammen. Himmel! Sie ritten
direkt auf eine tiefe Schlucht zu! „Kleiner Donner, halt an!",
rief er erschrocken. „Da hinten kommt eine Schlucht!"

Doch Kleiner Donner hielt nicht an. Weiter und weiter rannte
er. Ein tiefer Abgrund tat sich vor ihnen auf, doch Kleiner
Donner setzte zum Sprung an. Dann flog er mit Yakari auf
dem Rücken über die riesige Schlucht.

Als sie auf der anderen Seite der Schlucht landeten, kämpfte Kleiner Donner kurz um sein Gleichgewicht. Seine Hufe suchten Halt auf dem steinigen Boden. Der Boden bröckelte und ein paar Steine fielen polternd den Abhang hinunter. Kleiner Donner wieherte aufgeregt, strauchelte, fing sich aber wieder.

Erleichtert atmete Yakari auf. Das war ja noch einmal gut gegangen! Aber wo war Kleiner Dachs, sein Freund? Suchend blickte sich Yakari nach ihm um. Kleiner Dachs war noch weit von ihm entfernt auf der anderen Seite der Schlucht. Yakari hatte das Rennen also gewonnen!

Fröhlich trommelte er sich auf die Brust. „Jaaaa!", schrie er. „Wir haben gewonnen, Kleiner Donner!" Kleiner Donner stieg auf die Hinterbeine und wieherte. Dann strampelte er mit den Vorderbeinen durch die Luft und kam wieder zum Stehen.

„Na, Kleiner Dachs, was sagst du jetzt?", rief Yakari seinem
Freund zu. Kleiner Dachs kam langsam auf ihn zu geritten.
Er hielt den Kopf gesenkt. Dieses Rennen hatte er verloren.
Kleiner Donner war eben das schnellste Pferd, das man sich
denken konnte.

Niedergeschlagen trottete er auf Schneller Blitz immer weiter
auf den Rand der Schlucht zu. Da brachen auch schon die
ersten Steine des Felsens ab und polterten in den Abgrund.
Schneller Blitz erschrak zutiefst. Er wieherte laut und stieg
auf die Hinterbeine.

In hohem Bogen flog Kleiner Dachs von seinem Pferd. Er machte einen Salto in der Luft und fiel dann voller Wucht mitten zwischen die stacheligen Kakteen. Für einen Moment blieb er benommen liegen. „Kleiner Dachs, hast du dir weh getan?", rief Yakari erschrocken zu ihm hinüber.

Mühsam rappelte Kleiner Dachs sich auf. Er schüttelte sich und rieb sich sein schmerzendes Hinterteil. Viele kleine Stacheln steckten darin. „Es geht schon", brummelte er leise und stand auf.

„Du musst zugeben, dass ich schneller bin als du!", lachte Yakari und trommelte sich wieder auf die Brust. „Du bist schneller?", fragte Kleiner Donner verwundert. „Ich würde mal sagen, ich war schneller." Aber Yakari achtete nicht auf ihn. „Ist schon klar", murmelte Kleiner Donner leise. „Widerspruch ist zwecklos."

Yakari und Kleiner Dachs trafen sich im Tal wieder. „Ich kann nicht mehr auf mein Pferd steigen", jammerte Kleiner Dachs. „Ich habe so viele Kaktusstacheln in meinem Hinterteil!" Yakari legte seine Hand auf die Schulter seines Freundes.

„Dann gehen wir eben zu Fuß nach Hause", schlug er vor. Es wurde ein langer Rückweg. Die Sonne ging schon unter, als die beiden mit ihren Pferden am Indianerlager ankamen.

Als es Nacht wurde, konnte Kleiner Dachs einfach nicht einschlafen. Die Stacheln in seinem Po brannten wie Feuer! Schließlich ging er zum Medizinmann des Dorfes. Kleiner Dachs musste sich auf den Bauch drehen und der Medizinmann zog einen Stachel nach dem anderen heraus. Das tat ganz schön weh!

Ein neuer Tag brach an. Übermütig lief Yakari aus seinem Zelt quer durch das Indianerdorf und rannte vor lauter Ungestüm beinahe einen Indianer um. Die anderen schüttelten den Kopf über ihn. „Der muss unbedingt noch lernen, mit seiner Kraft umzugehen", sagten sie. Doch Yakari hörte ihnen nicht zu. Er wollte so schnell wie möglich zu seinem Pony.

„Kleiner Donner!", rief er. „Los, schnell. Wir wollen zur Hochebene hinauf. Beeil dich!" Aber Kleiner Donner fraß weiter gemütlich das Gras auf der Wiese. Er schüttelte den Kopf, dass seine Mähne nur so flog. „Ich mag jetzt nicht", erwiderte er.

Doch Yakari hörte ihm gar nicht zu. „Kleiner Dachs will noch ein Wett-
rennen mit mir machen!", schrie er lauter. „Und ich bin nur der Größte,
wenn ich das auch gewinne." Wieder schüttelte Kleiner Donner den
Kopf. Yakari ärgerte sich. Er nahm Anlauf und sprang auf Kleiner
Donners Rücken. „Oh doch, Kleiner Donner!", kommandierte er. „Wir
reiten sofort los!" Kleiner Donner schüttelte noch einmal den Kopf.
„Hast du immer noch nicht begriffen, dass ich keine Lust habe?",
fragte er. Dann warf er Yakari in hohem Bogen ab.

Erschrocken richtete sich Yakari auf. Dann wurde er so richtig wütend. Er ging zu Kleiner Donner zurück, baute sich vor ihm auf und stemmte die Arme in die Hüften. „Hast du nicht gehört, was ich gesagt habe?", brüllte er. „Ich will da hin!" Und er kletterte wieder auf den Rücken von Kleiner Donner. „Los!", befahl er mit lauter Stimme.

Kleiner Donner sah ihn verwundert an. „Du verstehst doch die Sprache der Tiere", sagte er. „Dann verstehe ich aber nicht, warum du mir nicht zuhörst!"

Wieder buckelte er und wieder flog Yakari in hohem Bogen ins Gras.
Dann sah Yakari, wie Kleiner Donner Anlauf nahm. Das kleine Pony
rannte in vollem Galopp auf den Zaun zu. Yakari sah ihn entsetzt
an. „Kleiner Donner!", rief er. „Bitte, tu das nicht!" Aber Kleiner
Donner hörte nicht auf ihn. Er wieherte noch einmal kurz, dann
sprang er über den Zaun und galoppierte davon.

Yakari war mit einem Satz auf den Beinen. „Komm bitte zurück!",
schrie er. Doch Kleiner Donner achtete nicht auf ihn. Er rannte so
schnell über die Prärie, dass eine Staubwolke aufwirbelte.

Den ganzen Tag lang wartete Yakari auf Kleiner Donner, doch das Pony kam nicht zurück. Die Nacht brach herein. Immer noch stand Yakari bei den anderen Pferden und wartete. Aber von Kleiner Donner war keine Spur zu sehen. Da wurde Yakari trauriger und trauriger. Ein dicker Kloß bildete sich in seiner Kehle. Am liebsten hätte er geweint.

Plötzlich war ein Rauschen in der Luft zu hören. Die Blätter wehten von den Bäumen und der Mond leuchtete heller. Das konnte nur einer sein: Großer Adler. Er flog direkt auf Yakari zu und landete vor ihm. „Großer Adler!", rief Yakari erfreut. „Bitte hilf mir! Kleiner Donner ist weg."

Großer Adler nickte. „Ich weiß", sagte er dann und legte seinen Flügel um Yakaris Schultern. „Du musst das verstehen. Die Pferde haben lange Zeit allein in der Wildnis gelebt. Sie bleiben nur bei den Menschen, wenn sie gut zu ihnen sind. Zwinge Kleiner Donner nicht deinen Willen auf. Er möchte frei sein." Erschöpft schlief Yakari in der tröstenden Umarmung von Großer Adler ein. Irgendwann in der Nacht wachte er allein auf und schleppte sich in sein Bett.

Als Yakari am nächsten Tag erwachte, ging die Sonne gerade auf. Tieftraurig stand er auf und trottete mit gesenktem Kopf und hängenden Schultern durch das Indianerlager. Zwei ältere Indianer beobachteten ihn und sagten verwundert zueinander: „Unser Wirbelwind ist heute morgen aber sehr still. So kennen wir ihn gar nicht."

Yakari aber war so in Gedanken, dass er nicht hörte, was die beiden Indianer sagten. Als er an der Wiese ankam, auf der die Pferde standen, schaute er über den Zaun. Aber Kleiner Donner war immer noch nicht zurückgekehrt.

„Was ist los, Yakari?", hörte er da die Stimme seines Freundes
Kleiner Dachs hinter sich. „Machen wir heute wieder ein Rennen,
damit ich dir zeigen kann, dass ich schneller reiten kann als du?"
Aber Yakari schüttelte traurig den Kopf und sagte: „Ich muss
zuerst Kleiner Donner suchen gehen. Er braucht mich und ich
brauche ihn!"

Da kam ihm eine Idee. Schnell kletterte er auf den Pferdezaun.
„Schneller Blitz, kannst du mir helfen, Kleiner Donner wieder-
zufinden?", fragte er das Pferd von Kleiner Dachs. „Natürlich
helfe ich dir, Yakari!", sagte Schneller Blitz.

Unterdessen galoppierte Kleiner Donner alleine
über die weite Prärie. Er genoss seine Freiheit,
wurde schneller und schneller. Da tauchten zwei Indianer am
Rand einer Schlucht auf. „Schau mal, da ist ein wildes Pony!", rief
der eine dem anderen zu. „Komm, das schnappen wir uns!" Sie
wendeten ihre Pferde und jagten mit wirbelnden Lassos hinter
Kleiner Donner her.

„Von denen lasse ich mir meine Freiheit nicht wegnehmen!", sagte
sich Kleiner Donner und galoppierte direkt auf die Schlucht zu.

Kleiner Donner wieherte. Immer schneller schlugen seine Hufe auf den harten Boden. Da tauchte auch schon die Schlucht vor ihm auf. Das Pony nahm Anlauf und sprang mit einem gewaltigen Satz darüber. Steine flogen und für einen Moment sah es so aus, als würde Kleiner Donner das Gleichgewicht verlieren.

Doch dann fing er sich wieder und galoppierte auf der anderen Seite der Schlucht davon. „Unsere Pferde hätten das nie gewagt!", staunten die Indianer. „So ein Tier hat es verdient, in Freiheit zu leben. Lassen wir es laufen."

Zur gleichen Zeit durchquerte auch Yakari auf Schneller Blitz das Tal. „Kleiner Donner!", rief er immer wieder. „Kleiner Donner, wo bist du?" Aber es kam keine Antwort.

Plötzlich entdeckte Yakari Hufspuren im weichen Sand. „Das sind die Hufspuren von Kleiner Donner!", rief Yakari begeistert. „Ich bin mir ganz sicher." Er verfolgte die Spuren mit den Augen. „Er ist über die Schlucht gesprungen. Komm, Schneller Blitz, das müssen wir auch tun." Aber Schneller Blitz schüttelte den Kopf.

„Das kann ich nicht", erwiderte er. „So etwas kann nur Kleiner Donner. Für mich ist diese Schlucht zu breit." „Aber du hast versprochen, mir zu helfen!", schrie Yakari wütend. Doch da fielen ihm die Worte von Großer Adler ein: „Zwinge den Pferden nicht deinen Willen auf!" Deshalb bedankte er sich bei Schneller Blitz für seine Hilfe, verabschiedete sich und kletterte in die Schlucht hinunter.

Als er am Boden der Schlucht angekommen war, lief er immer
weiter, bis er an eine saftige Wiese kam. Dort entdeckte Yakari
eine Herde Wildpferde und ging auf sie zu. Mit Grasbüscheln
im Maul kamen sie ihm entgegen und bildeten dann neugierig
einen Kreis um ihn.

„Könnt ihr mich verstehen?", fragte Yakari die Pferde unsicher.
„Ich suche nämlich ein Pony. Es ist klein und schwarz-weiß mit
einer hellen Mähne."

„Es ist zwar klein, aber es kann schneller rennen und höher springen als alle anderen Pferde. Und gegen Schneller Blitz gewinnt es jedes Rennen!", erzählte er und seufzte. Wenn er von Kleiner Donner sprach, wurde sein Herz wieder ganz schwer.

„Es ist das mutigste Pony, das ich je gesehen habe", fuhr er fort. „Es kann über breite Schluchten und hohe Zäune springen." Jetzt kamen ihm fast die Tränen. „Kleiner Donner ist einfach der Größte", setzte er dann noch leise hinzu.

„Komm mit!", sagte ein brauner Mustang auf einmal zu Yakari. „Ich glaube, ich weiß, wo wir dein Pony finden."
„Wirklich?", fragte Yakari überrascht. „Das wäre so schön!"

Der braune Mustang trottete los und Yakari folgte ihm. „Kleiner Donner ist böse auf mich, weil ich gemein zu ihm war", gab er schuldbewusst zu. „Ich dachte, ich bin der Größte. Dabei habe ich alle Rennen nur durch ihn gewonnen." Das braune Pferd ging nun auf einen Fluss zu. Dann drehte es sich noch einmal zu Yakari um.

„Würdest du deinem Pony das auch alles selbst sagen?", fragte es. „Natürlich!", rief Yakari. „Ich würde ihm auch versprechen, dass ich ihm nie mehr meinen Willen aufzwingen werde." Er überlegte einen Moment lang. „Vor allem aber würde ich Kleiner Donner sagen, wie sehr er mir fehlt." Das braune Pferd nickte.

Dann ging es tiefer und tiefer in den Fluss hinein. Yakari blieb am Ufer stehen und sah das Pferd verwundert an. Sollte er mit ihm durch den Fluss schwimmen? Das braune Pferd war jetzt bis zum Hals im Fluss versunken. Dann tauchte es kurz seinen Kopf unter Wasser.

Da kam das Pferd langsam wieder ans Ufer zurück. Yakari
riss verwundert die Augen auf. Das Pferd hatte sich verändert.
Es war auf einmal schwarz-weiß! Aber das war doch ...

„Kleiner Donner?", rief Yakari verblüfft. „Bist du das?"
„Natürlich bin ich Kleiner Donner!", antwortete das Pferd.
„Ich hatte mich nur im Schlamm gewälzt." Yakari lief auf
Kleiner Donner zu und schlang die Arme um seinen Hals.
„Oh, Kleiner Donner, du hast mir so gefehlt!", rief er. Über-
glücklich schwang sich Yakari auf den Rücken von Kleiner
Donner und streichelte seine Mähne.

„Bleibst du jetzt bei mir?", wollte er wissen. Kleiner Donner nickte. Sofort richtete Yakari sich auf und zupfte an seiner Mähne. „Dann schnell nach Hause! Na los!", rief er übermütig.

Aber Kleiner Donner bewegte sich nicht. Sofort fiel Yakari ein, was er dem Pony versprochen hatte. „Entschuldige", sagte er kleinlaut. „Willst du das auch, nach Hause reiten?" „Na klar!", lachte Kleiner Donner auf einmal und setzte sich in Bewegung. So schnell die beiden konnten, galoppierten sie nach Hause zurück.

Genehmigte Lizenzausgabe
EDITION XXL GmbH
Fränkisch-Crumbach 2014
www.edition-xxl.de

© Derib + Job – Le Lombard (Dargaud-Lombard sa)
Storimages / 2 minutes / Belvision / RTBF 2010

ISBN (13) 978-3-89736-429-5
ISBN (10)   3-89736-429-8